The Very Best of Elton John

Wise Publications
8/9 *Frith Street,*
London W1V 5TZ.

Big Pig Music Limited
32 Galena Road, Hammersmith,
London W6 0LT.

Distributors:
Music Sales Limited
8/9 Frith Street,
London W1V 5TZ, England.

Music Sales Pty Limited
120 Rothschild Avenue,
Rosebery, NSW 2018,
Australia.

Cover photograph by Greg Gorman
Album design by Wherefore Art
Book design by Pearce Marchbank Studio
Title page photograph by Herb Ritts

Music Sales' complete catalogue lists thousands of titles and is
free from your local music shop, or direct from Music Sales Limited.
Please send a cheque/postal order for £1.50 for postage to
Music Sales Limited, 8/9 Frith Street, London W1V 5TZ.

Your Guarantee of Quality

Your Song *9*
Rocket Man *13*
Honky Cat *17*
Crocodile Rock *24*
Daniel *28*
Goodbye Yellow Brick Road *32*
Saturday Night's Alright (For Fighting) *36*
Candle In The Wind *40*
Don't Let The Sun Go Down On Me *44*
Lucy In The Sky With Diamonds *49*
Philadelphia Freedom *52*
Someone Saved My Life Tonight *57*
Pinball Wizard *61*
The Bitch Is Back *64*
Don't Go Breaking My Heart *68*
Bennie And The Jets *72*

Sorry Seems To Be The Hardest Word 75
Song For Guy 79
Part-Time Love 83
Blue Eyes 88
I Guess That's Why They Call It The Blues 90
I'm Still Standing 93
Kiss The Bride 96
Sad Songs (Say So Much) 101
Passengers 106
Nikita 110
I Don't Wanna Go On With You Like That 115
Sacrifice 122
Easier To Walk Away 126
You Gotta Love Someone 131

Discography 134

Your Song

Words & Music by Elton John & Bernie Taupin

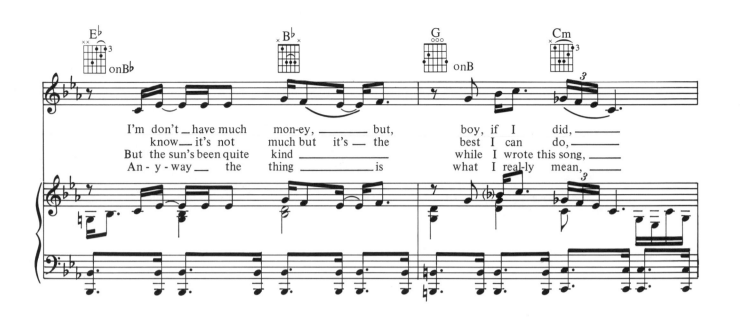

I'm don't _ have much mon-ey, _____ but, boy, if I did, _____
know _ it's not much but it's _ the best I can do, _____
But the sun's been quite kind _____ while I wrote this song, _____
An-y-way _ the thing _____ is what I real-ly mean, _____

I'd buy _ a big house where _____ we both could live.
My gift is my song and _____ keep it _ turned on.
It's for peo-ple like you, that _____
Yours are the sweet-est eyes _____

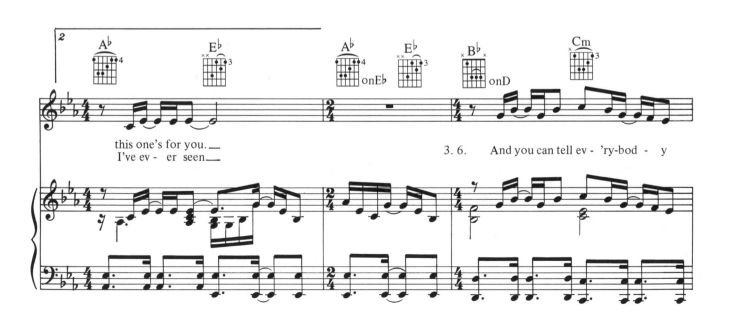

this one's for you. _
I've ev - er seen _

3. 6. And you can tell ev - 'ry-bod - y

CODA

7.8. I hope you don't mind, __ I hope you don't mind ____ that I put __ down in __ words, How

won - der - ful life is __ while you're _ in _ the world. __

you're _ in _ the world. ____

Rocket Man

Words & Music by Elton John & Bernie Taupin

on such a time - - - less flight.

And I think it's gon-na be a long long time

till touch - down brings me 'round a-gain to find I'm not the man they think I am at home

Oh no no no, I'm a rock-et man.

14

And all_this sci-ence_ I don't un-der-stand.

It's just _ my job _ five days a week. _ A rock-et man, _____

D.S. al Coda

A rock-et man. ___

gradual cresc.

CODA

Repeat and fade

And I think it's gon-na be a long, ___ long time. _

16

Honky Cat

Words & Music by Elton John & Bernie Taupin

Brightly, with spirit

mf

(Xylophone)

D7

When — I look back, boy, I must — have been green, —

G

bop-pin' in the coun - try, fish - in' in — a stream. —

Look-in' for an an - swer, try-in' to find ___ a sign, ___

un - til I saw your cit - y lights, ___ hon-ey I ___ was blind. ___ They said,

get back, hon-ky cat, bet-ter get back to the woods ___ well I

quit those days ___ and ___ my red - neck ways ___ and ___ a,

18

hmm, ___ hmm ___ hmm, hmm, ___ hmm,
oo, ___ oo, ___ oo oo, ___ oo,
oh, the change ___ is gon-na do me good. ___

(Xyl.)

You bet-ter

get back, hon-ky cat liv- in' in the cit - y ain't ___ where it's at, it's like

try'n ___ to find gold ___ in a sil - ver mine, ___ it's ___ like

19

To Coda ⊕

try'n' — to drink whis-key oh, — from a bot-tle of wine.

(Xyl.)

Well I

read — some books and I read some mag - a-zines — a-bout those

high — class la - dies down — in New — Or - leans — and all — the

20

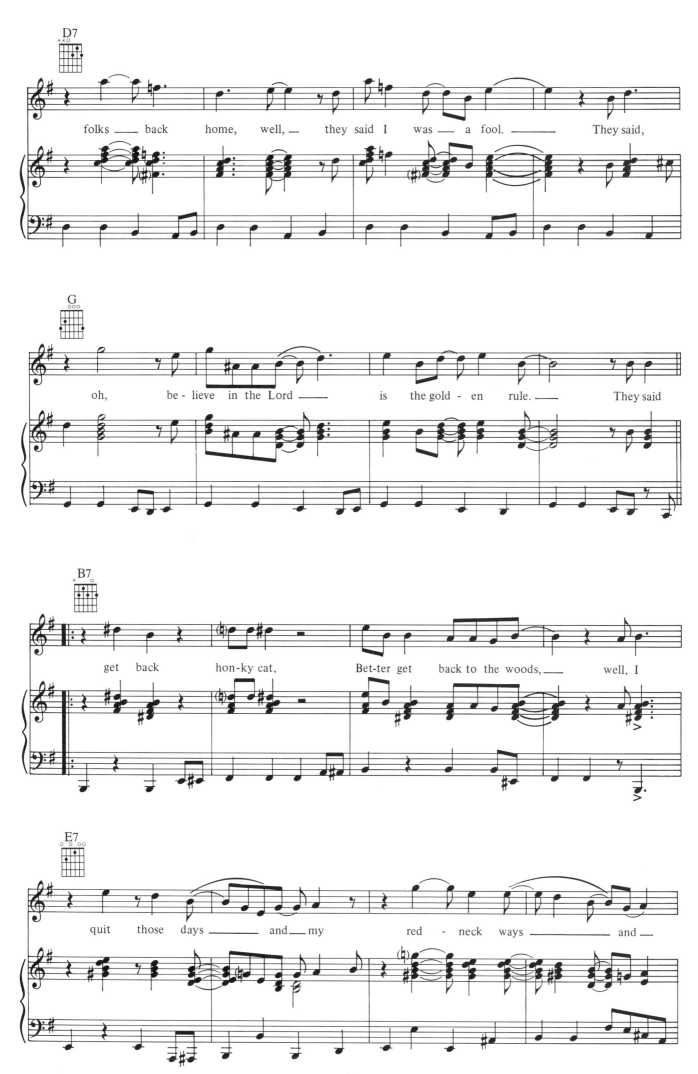

oo, ___ oo, oo, oo, ___ oo, oh, the change ___ is gon-na do me good. ___

(Xyl.) They said,

They ___ said, ___ stay ___ at home, ___ boy, you got-ta tend the farm,

liv-in' in the cit - y boy, ___ is, is gon-na break your heart. ___

But how can you stay, when your heart says

no, ah, ah, how can you stop when your feet say go.

D.S. al Coda

You bet-ter

CODA

(Xyl.)

Get back, hon-key cat, get back, hon-key cat,

Repeat and fade

get back, ooh.

23

Crocodile Rock

Words & Music by Elton John & Bernie Taupin

Light-hearted rock

1,3. I re - mem - ber when rock was young
(2) ____ went by ____ and

rock just died   Su - sie went and left us for some for - eign guy. ____
Me and Su - sie had   so much   fun ____

Hold-ing hands
Long.

Croc-o-dile rock-in' is some-thing shock-in' when your feet just can't keep still, ____

I nev-er knew me a bet-ter time __ and I guess ____ I nev __ er ____ will ____ Oh

____ Lawd-y ma-ma those Fri - day nights __ when Su - sie wore __ her dres-ses tight ____ and

the croc-o-dile __ rock-in' was _____ out of sight. ____

26

2. But the years

3. I re-mem-

Repeat and fade

Daniel

Words & Music by Elton John & Bernie Taupin

© Copyright 1972 for the world by Dick James Music Limited,
Chancellors House, Chancellors Road, London W6.

31

Goodbye Yellow Brick Road

Words & Music by Elton John & Bernie Taupin

1. When are you gon-na come down When are you going to land
2. What do you think you'll do then I bet that-'ll shoot down your plane

— I should have stayed on the farm should have list - ened to my old man —
— It -'ll take you a cou - ple of vod - ka and ton - ics to set you on your feet a - gain

toad

Oh I've fin - 'ly de - cid - ed my

fu - ture lies be - yond the yel - low brick road _____

Ah _____

Ah _____

Saturday Night's Alright For Fighting

Words & Music by Elton John & Bernie Taupin

37

had it with your dis - ci - pline_ oh Sat-ur-day night's al - right_ for fight-in' get_

_ a lit - tle act-ion_ in _ get _ a-bout as oiled_as a dies-el train_ Gon-

- na set this dance_ a - light _ 'cause Sat-ur-day night's_the night_ I like_ Sat-

- ur-day night's_ al - right _ al - right _ al - right _____ ooh _____

Candle In The Wind

Words & Music by Elton John & Bernie Taupin

1. Good-bye Nor - ma Jean ____ though I nev - er knew you at all ____
2. Lone - li - ness ____ was tough ____ the tough-est role you ev - er played Hol - ly

____ you had ____ the grace to hold your - self ____ while those a - round ____ you crawled
-wood cre - at - ed a ____ su - per star ____ and pain was the price you paid

They crawled out of the wood-work ____ and they whis-pered
ev - en when you died ____ Oh the

And I would have liked ___ to have known ___ you but ___ I was just ___ a kid ___ Your can-dle had burned ___ out long ___ be-fore ___ your leg - end ev - er did ___

To Coda

42

Good-bye Nor - ma Jean _____ though I nev - er knew you at all _____
Good-bye Nor - me Jean _____ from the young man in the twen - ty sec - ond row _____

_____ you had _____ the grace to hold your-self _____ while those a-round _____ you crawled _____
_____ who sees you as some-thing more than sex - u - al _____ more than just Mar - i - lyn _ Mon-roe _____

And it

CODA

The can-dle had burned out

long _ be-fore _ your leg-end ev-er did. _____

Don't Let The Sun Go Down On Me

Words & Music by Elton John & Bernie Taupin

46

47

Lucy In The Sky With Diamonds

Words & Music by John Lennon & Paul McCartney

Flowing

A   **A/G**   **F#m**   **F**

Pic - ture your - self in a boat on a riv - er with
Fol - low her down to a bridge by a fount - ain where
Pic - ture her your - self on a train in a sta - tion with

A/E   **A/G**   **F#m**   **F**

tan - ger - ine trees and mar - ma - lade skies
rock - ing horse peo - ple eat marsh - mal - low pies
plast - i - cine port - ers with look - ing - glass ties

F/C   **A/E**   **A/G**   **F#m**

Some - bo - dy calls you, you an - swer quite
Ev' - ry - one smiles as you drift past the
Sud - den - ly some - one is there at the

51

Philadelphia Freedom

Words & Music by Elton John & Bernie Taupin

The less I say ___ the more ___ my work gets done. ___

Chorus

'Cause I live and breathe ___ this Phil - a - del - phi - a free - dom

From the day that I ___ was born ___ I waived ___ the flag ___

___ Phil - a - del - phia free - dom took me knee - high to a man ___

55

Verse 2.   If you choose to, you can live your life alone.
Some people choose the city,
Some others choose the good old family home.
I like living easy without family ties
'Til the whippoorwill of freedom zapped me
Right between the eyes.
Repeat Chorus

Someone Saved My Life Tonight

Words & Music by Elton John & Bernie Taupin

1. When I think of those east end lights, mug-gy nights, the cur-tains drawn_ in the lit - tle room down stairs _____ Pri - ma-don - na, lord you real-ly should have been there. _ sit-ting like a prin-cess perched_ in her e - lec - tric chair. ___ And it's one more beer, ____and I don't hear you

58

but-ter-flies ___ are free ___ to fly, ___ Fly a-way ___ high-a-way ___ bye

bye.

And I would have walked head on ___ in-to the deep end of a riv-er, ___ cling-ing to your stocks and bonds, ___ pay-ing your

Verse 2.
I never realized the passing hours
Of evening showers,
A slip noose hanging in my darkest dreams.
I'm strangled by your haunted social scene
Just a pawn out-played by a dominating queen.
It's four-o-clock in the morning
Damn it!
Listen to me good.
I'm sleeping with myself tonight
Saved in time, thank God my music's still alive.   **TO CHORUS**

Pinball Wizard

Words & Music by Peter Townshend

played the sil - ver ball; From So - ho down to Brigh - ton I
part of the ___ ma - chine, Feel - in' all the bump - ers,
hear no buz-zes and bells, Don't see no lights a-flash - in'
He can beat ___ my best, His dis - ci - ples lead him in ___ And

must have played 'em all ___ But I ain't seen noth - in' like him in
al - ways play - in' clean, ___ ___ Plays by in - tu - i - tion, the
plays by sense of smell, ___ ___ Al - ways gets a re - play
he just does the rest. ___ He's got cra - zy flip - pin' fin - gers,

an - y a - muse-ment hall. ___
dig - it coun - ters fall ___
nev - er seen him fall. ___
nev - er seen him fall. ___
That deaf, dumb ___ and blind ___ kid

sure plays a mean pin - ball.

To Coda

1.2. He's a pin - ball wiz-ard there has ___ to be a twist, A

3. I thought I was ___ the bod - y - ta - ble king, But

pin - ball wiz-ard, got such a sup - ple wrist ___

I just hand-ed my pin ball crown to him. ___

How do you think ___ he does ___ it? ___

(I ___ don't ___ know. ___)

3. *D.S. al ⊕ Coda*

What makes him ___ so ___ good? ___ 2. He

3. ___

Coda

ball.

63

The Bitch Is Back

Words & Music by Elton John & Bernie Taupin

Eat meat on Fri - day that's __ al - right __ I ev - en like __ steak on a

Sat-ur-day night I can bitch the best __ at your so - cial do's __ I get high in the eve-ning sniff-ing

pots of glue __ I'm a bitch I'm a bitch oh the

bitch is — back   Stone — cold so - ber as a mat-ter of fact — I can bitch   I can bitch 'cause I'm

bet - ter than you   It's the way that I move — and the things that I do, — oh. —

To Coda

I   en - ter - tain — by   pick - ing brains

66

sell my soul ____ by drop-ping names I don't like those!__ My God, __what's that! __ Oh it's

full of nas - ty hab - its when the bitch gets back. __ I'm a

CODA

bitch, bitch, the bitch is_ back ____

bitch, bitch, the bitch is_ back. ____

67

Don't Go Breaking My Heart

Words & Music by Ann Orson & Carte Blanche

Bennie And The Jets

Words & Music by Elton John & Bernie Taupin

73

Ben - nie and the Jets

To Coda ⊕

D.S. (Piano solo) al Coda

CODA

Ben-nie   Ben-nie

Repeat and fade

Ben-nie   Ben-nie   Ben-nie   Ben-nie and the Jets.

74

Sorry Seems To Be The Hardest Word

Words & Music by Elton John & Bernie Taupin

It's sad ___ it's so sad ___ Why can't we talk ___ it o - ver? ___ Al-ways seems to me ___ that
(it's so sad)

sor-ry seems to be ___ the hard - est word.

word. What do I do to make you love

Song For Guy

By Elton John

81

thing. _____

Life,

life,

life,

life,

life,

life.

dim.

pp

Part-Time Love

Words & Music by Elton John & Gary Osborne

84

you,   me,   and   ev - er - y - bod - y   needs a   part - time
you,   me,   and   ev - er - y - bod - y   needs a   part - time

love?

D. S. % (no repeats) al Coda

Coda

love. _____   Oh. _____   You,   me,   and

ev - er - y - bod - y's got a   part - time   love. _____

Oh. _____ You, me, and ev-er-y-bod-y needs a

part - time love.

You, me,

ev-er-y-bod-y got a part - time love.

Blue Eyes

Words & Music by Elton John & Gary Osborne

(1) Blue eyes hold-ing back the tears ___
(2,3) Blue eyes laugh-ing in the sun, ___

hold - ing back the pain
laugh - ing in the rain

ba - by's got blue ___
ba - by's got blue ___

eyes,
eyes,

and she's a - lone ___
and am I home ___

a - gain. ___

And am I home a - gain. ___

Fine

D.S. al Fine

I Guess That's Why They Call It The Blues

Words & Music by Elton John, Bernie Taupin & Davey Johnstone

I'm Still Standing

Words & Music by Elton John & Bernie Taupin

94

Verse 3.   Once I never could hope to win
            You starting down the road
            Leaving me again. The threats
            You made were meant to cut me down,
            And if our love was just a circus
            You'd be a clown by now.

95

Kiss The Bride

Words & Music by Elton John & Bernie Taupin

Moderate rock

Well she looked ___ a peach ___ in the dress ___ she made ___ when she was
___ her veil ___ I could see ___ a tear ___ trick-ling

still her ma-ma's lit-tle girl.___ And when she walked down the aisle, how ev-'ry
down her pret-ty face.___ And when he slipped on the ring I knew ___

97

Sad Songs (Say So Much)

Words & Music by Elton John & Bernie Taupin

rough spots ___ is the hard - est part when mem-o - ries re - main.
word makes sense, ___ then it's ea - si - er to have those songs a - round.

And it's times ___ like these when we all ___ need ___ to hear ___ the ra-
The kick in - side ___ is in ___ the ___ line ___ that fi - nal - ly gets ___

___ di - o, ___ 'Cause from the lips ___ of ___ some ___ old sing-
___ to ___ you. ___ And it feels so good to hurt so bad ___

- er we can share the troub - les we al - read - y know.
and suf - fer just e - nough to sing ___ the blues. ___

(So) Turn 'em on, _____ turn 'em on, _____ turn on those

sad songs. _____ When all hope is gone _____ why don't you

tune in and turn _____ them on? _____ They reach in - to your

room, oh, _____ just feel _____ their _____ gen - tle touch. _____

105

Passengers

Words & Music by Elton John, Bernie Taupin, Davey Johnstone & Phineas McHize

si - lence, there's wheels up - on the jail, a black train built of bones on a cop-per
na - tive, it's tat - tooed in your veins, you're liv - ing in a blood bank and rid - ing on this

rail.
train.

De - ny the pas - sen - ger who wan - na get on.

De - ny the pas - sen - ger who wan - na get on. De - ny the pas - sen -

ger who wan - na get on. Wan - na get on, wan - na get on he wan - na get on, he wan - na get on.

109

Nikita

Words & Music by Elton John & Bernie Taupin

an - y - thing a - bout my home.   I'll   nev - er know how good it feels to

hold you.   Nik - it - a, ___ I   need you ___ so. ___

Oh Nik - it - a, is ___ the oth - er side ___   of an - y giv - en

line in time   count - ing ten tin sold - iers in a row?   Oh no, Nik - it - a ___ you'll

nev - er__ know.__

Oh Nik - it - a, you will nev-

Count-ing ten___ tin sold - iers in ___ a row.

Nik - it - a. _____

Count-ing ten___ tin sold - iers in___ a

I Don't Wanna Go On With You Like That

Words & Music by Elton John & Bernie Taupin

Oh _____   Oh   yeah. __

_____   you like that. __   But

I   don't   wan - na   go   on   with   you   like   that, ____   one ____

____   more   set   of   boots   on   your   wel - come   mat, ____   you'll

VERSE 2.
It gets so hard sometimes to understand
This vicious circle's getting out of hand
Don't need an extra eye to see
That the fire spreads much faster in a breeze.

Sacrifice

Words & Music by Elton John & Bernie Taupin

Easier To Walk Away

Words & Music by Elton John & Bernie Taupin

fall - ing un - der some - one's wheels.
bur - ied un - der some - one's thumb.

It's ea - si - er __ to walk __

__ a - way,

bet - ter off to face __ the fact. __

When love holds you up for ran - som,

walk a - way and don't __ look back. __

You Gotta Love Someone

Words & Music by Elton John & Bernie Taupin

break the   rules,___   but be - fore you   try.___
beat the   clock,___   but be - fore high noon.___
Burn up the   high - way,   but be - fore you   run.___

You got - ta   love   some - one,___   you got - ta

love   some - one.___   (2.) You can

You've got one
You're gon - na

life   with a rea - son, you need two hearts   on one side.___
play   with fire____   you let some - one   share the heat.___

132

Discography

Elton John *(May 1970)*
Yoursong

Honky Château *(June 1972)*
Rocket Man
Honky Cat

Don't Shoot Me I'm Only The Piano Player *(February 1973)*
Crocodile Rock
Daniel

Goodbye Yellow Brick Road *(1973)*
Goodbye Yellow Brick Road
Saturday Night's Alright (For Fighting)
Candle In The Wind
Bennie And The Jets

Caribou *(July 1974)*
Don't Let The Sun Go Down On Me
The Bitch Is Back

Captain Fantastic And The Brown Dirt Cowboy *(June 1975)*
Someone Saved My Life Tonight

Blue Moves *(November 1976)*
Sorry Seems To Be The Hardest Word

Greatest Hits: Elton John Volume 2 *(September 1977)*
Lucy In The Sky With Diamonds
Philadelphia Freedom
Pinball Wizard
Don't Go Breaking My Heat

A Single Man *(November 1978)*
Song For Guy
Part-Time Love

Jump Up *(April 1982)*
Blue Eyes

Too Low For Zero *(June 1983)*
I Guess That's Why They Call It The Blues
I'm Still Standing
Kiss The Bride

Breaking Hearts *(June 1984)*
Sad Songs (Say So Much)
Passengers

Ice On Fire *(November 1985)*
Nikita

Reg Strikes Back *(July 1988)*
I Don't Wanna Go On With You Like That

Sleeping With the Past *(September 1989)*
Sacrifice

The Very Best Of Elton John *(November 1990)*
Easier To Walk Away

'Days Of Thunder' *(Southtrack album)*
You Gotta Love Someone

Printed in Malta by Interprint Limited   8/04 (52292)